KB122620

심검당 살구꽃

최명숙 시집

심검당 살구꽃

마음 없는 자리에는
꽃이 피지 않았고
밖에 있는 마음에는
달이 뜨지 않았다

시인의 말

봄이 시작될 무렵부터 떠남에 대해 고민하다 봄은 가고 여름을 지나 가을의 한가운데 섰다. 계절이 가고 오는 사이 꽃은 피고 지고 숲은 신록에서 또 새 계절로 돌아갈 준비를 하지만 세상은 경험해 보지 못했던 혼란에 묶인 채 답답했다. 그러한 일상의 답답함 속에서도 마음의 길은 자유로워 어제와 오늘의 길을 왔고 내일로 가는 길을 냈다.

마음 밖으로 나와 길을 바라보면 길 끝에는 마음이 쉴 터가 보였다. 때로는 수려한 산세에 안긴 산사이기도 했고 수국이 피고 풍경이 우는 암자이기도 했으며 너럭바위에 석탑이 서 있기도 했다. 산새 소리가 가득한 날도 있었고 안개가 밀려도 왔으며 만장 같은 나무들이 수런거리기도 했다. 그것들은 세상 어디를 가든 내 생의 일부로 나를 맞이했다.

그저 일상의 삶으로 걸었던 마음의 길, 그 길 위에서 소소히 적은 시들이 따라오곤 했다. 그리 시작 노트에 적힌 그 시들을 한 권의 시집으로 엮었다.

시집에 실린 시들이 내게 그랬던 것처럼 누군가의 마음에 들어가 길 하나 내주고 잠시 머물며 쉴 암자의 풍경소리 같기를 바란다.

2021년 가을의 한가운데서

최명숙

차례

2부

먼 데서 온 자의 마음이 툭 열리듯

3부

날아가는 새에게 묻지 않듯 가는 목적을 묻지 말라

4부
더 좋은 날을 낚으러 가는 여행자처럼 가고 있다

1 부

암자로 가는 길을 물었다

부처는 암자에 없다지만

- 묘적암 -

1

길 없는 길 위에서 나그네가 되었다

밭 매는 할매에게

암자로 가는 길을 물었다

암자는 해체 공사 중이라 부처님은 없다고 하면서

내비도 헤맨 길을 정확하게 알려주었다

오르는 길은 묵묵히 고요할 뿐

앞서가는 이도 따라오는 이도 없다

지루함의 저만치에 반야샘이 보이고

푸른 이끼 가득 핀 석등 곁에는

개망초가 피었다

개망초꽃과 물 한 모금 나눠 마시자니
숲 위에서 망치 소리와 사람의 말소리가 내려오고
난데없는 차 소리가 올라왔다
공사트럭은 길이 없다는 나무 팻말을
풀숲에 밀어 넣고 두어 번 오르내리며
길도 막았다

전나무 길이 끝나자
흰 구름은 무더기로 흘러가고
알 수 없는 마음이 스쳐 지나갔다

어디를 보든 길이 되는 길의 막다름에서
적요의 객이 되어 세상의 돌담을 돌아가자니
네 부처가 산다는 암자에는 햇살이 적적하다

2

물을 뿌리자 심자(心字) 가 나타났다는
나옹스님의 기둥 모양 돌이나
침묵은 우레와 같다는 일목어뢰 현판은
공사 중인 암자를 잠시 비웠는지 보이지 않고
인부들의 말소리와 망치 소리가 허공으로 날아갔다

수시로 다른 곳에 가 있다가도
본래의 자리로 회귀하는 마음이듯이
공사 중 자리를 잠시 비웠다 할지라도
부처가 떠났다 할 수는 없었다

다만 나는 보지 못했다
눈 어둔 나에게 어딜 보던 길은 보이지 않았고
귀 어둔 나에게 어떤 경계의 소리는 들리지 않았다

눈, 아래로 가는 길을 지우다
- 청량사 -

몇 년 만에 청량사에 올랐다
눈 내린 산사에 수만 개 별빛이 흐르는 밤이다

수십 계단 올라 계단이 끝나는 곳에
푸른 소나무 한 그루 서서
소의 눈을 하고 빼끔빼끔 인사를 한다

유리보전 안 약사여래는 닥종이가 아니고
수십 겹 붙이고 붙인 비단이래
워낭소리 노부부는 죽었는지 소식이 없다고 말을
하다 말고
우수수 어깨 위의 눈을 턴다

오층석탑 위에는 반달이 내려앉고 싶어 하지만
쉽지 않은 모양을 하고서 서쪽으로 가려 하고
법당에서 나온 스님은
다 그런 거지 제 맘대로 되는 게

얼마나 있을라고 하며 중얼거리다
합장을 했다

찻물 내리는 소리
바람에 흔들리는 풍경소리
이래서 데리고 온 상념들이
별빛과 달빛 사이에서 온 도량에서
이리저리 부딪고 다니는 소리
간혹 들려오는 밤새 소리
소나무 서 있는 밖은 어둠만 가득 쌓여갔다

어느새 별도 보이질 않고 달도 가고
다시 눈이 내렸다
소나무도 눈 속에 묻혀갔다
밤은 눈 속에 하얘지다
아래로 가는 길을 지웠다

그림자

그대 이름을 적어가는 저녁
문 앞에 그대인 양 드리우는 그림자

문밖을 기웃대다 누구인가 물어보면
그대라 답은 없었는데
풍경이 바람과 노는 소리
보이지 않게 우는 밤새 소리
산목련 가지 끝에 달린 초승달

그래, 그대였구나
그믐의 어둠을 지나온 그대의 그림자
아직 꽃이 피지 않는 어둠 속에서
떠오른 그대

그리운 맘은 허공에 가득한데
소리 없이 창가에 서성일수록
깊어 가는 어둠 위에 멀어져가는 초사흘 밤

손잡을 수 없는 초승달
밤새 소리가 별처럼 진다

못 잊어 하다

창밖에 바람이 스산히 불어
이별처럼 낙엽이 흩어지면
그대 소식을 담을 우체통을 세우고
기다림의 종 하나를 매어두리라

말없이 떠나간 그대를
이 가을에도 못 잊어 하다
가을 햇살의 그림자처럼 서성이노라
어둠의 노래가 가득 찰 때까지

그리운 마음은 서녘에 붉고
기별처럼 금목서가 피어나면
그대 어깨에 걸칠 스웨터를 꺼내고
마주 앉을 차탁에 차를 끓이리라

기약 없어 못 잊는 그대를

오늘이 지나도 못 잊어 하다

갈대를 흔드는 바람처럼 흔들리노라

사랑의 노래가 만 리로 갈 때까지

우리, 어느 생에라도

해그림자 드리워 강물 빛이 더 고운
바람 부는 가을 오후
옷깃 여미는 강가에서 만난 사람
하얀 고독을 지닌 영혼

저 강물이 흘러가도
이제는 떠나지 마라
우리, 어느 생에라도 만날 수 있게

들꽃이 피어도 그대 다시 오지 않을
지난 계절의 그 노래
부를 수 없는 이름 위에 깊은 노을
가득 차오는 그리움

저 노을이 깊어져도

이제는 떠나지 마라

우리, 어느 생에라도 만날 수 있게

피고 지고 피고 지네

– 백련사에서 –

두리기둥 사이 아침햇살이 들어 꽃이 피고
심검당 처마 밑에 바람이 일렁여 꽃이 피네

돌부처 앞에 나란히 합장하고 서 있는
두 연인의 곁에서 꽃이 피네

풍경소리가 산 그림자 뒤에 숨어 꽃이 지고
큰스님의 눈가에도 석양이 드리워 꽃이 지네

해거름 녘 법고 소릴 밟으며 내려가는
노보살의 발치에서 꽃이 지네

오는 길에 꽃이 피고
가는 길에 꽃이 지네
왔다 가는 사이에 피고 지고 피고 지네

목련이 소식을 엿보더니

대여섯 시경
오토바이를 타고 온
우체부의 당일특급 우편물 속에는
쌍계골 노스님의 열반 소식이
들어 있었다
소식을 엿본 미타전 앞 목련은
산 너머 화개동 고목의 꽃이
옴마니 반메 훔 아침을 거두어 돌아갔다 하니
따라가야겠다고 산문 밖을 내다본다

동백

– 강진 백련사 동백 숲길에서 –

길이 끝나 새 길이 열리듯
오늘 하루 새로이 섰습니다

이 순간 존재하며
여기에 사는 지금
백련사 동백꽃이 핍니다

깊은 겨울이 지나가면
봄이 일어나 오는 길입니다

살아 있으므로 겪는
모든 바람의 경계에서
바다를 향하여 피어났습니다

어둠이 끝나서 아침이 밝듯이
절망을 딛고 선 새 희망입니다

무너져 더 없이

크게 자란 맘 자리에서

흰 눈 덮여 더 붉었습니다

푸른 저녁달

푸른 달이 날이 채 저물기 전에
하늘에 떠 있다
밤새 나와 함께 머나먼 길을 갈
푸른 달은 밝은 빛으로 어두운 세상 나의 길을
서너 걸음 앞서가고 있다

푸른 달은 창가에 서성이다
별이 하나둘 뜰 때쯤 내게 말했다

이 순간 길을 기억해다오. 쉼 없이 가야 할 생이라면
잊히지 않을 만큼 망각의 먼지를 털어 내주오

푸른 달은 날이 가서 한 달이 차듯
그처럼 나도 기울고 차면서
푸른 빛 그대로 영원히 있음을 잊지 말라 하였다

푸른 달은 초저녁별이 뜨기 전에 하늘에 떠 있다
별들의 길을 따라 생의 한 지점을 함께 가고 있음
이 보였다
기우는 달은 제빛을 놓고 별들의 길 위에서
벗어나지 않게 바라보았다
그리고 조용히 말했다

다가오는 길을
따라가는 별을 잃어버리지 마오
쉼 없이 가야 할 생에서 나는 다시 차오를 테니

아홉 친구의 생선구이집

친구 아홉이 여행을 떠난 군산의 뒷골목
헐은 생선구이집으로 들어갔다
찾던 집은 노할매가 죽어
어디론가 이사를 갔다 하고
길 가던 아줌마가 골목을 돌아가 보라고 한 집이었다

낮은 지붕 아래 걸린 홍어와 물텀벙이는
흐린 날의 우울을 달아메고 마르면서도 정겨웠다

두서너 개가 삐걱이는 나무의자에 앉아
비닐식탁보 위에 놓인 생선구이와 무조림,
홍어무침과 묵은 김치,
시래기된장국을 먹으며 깔깔거렸다

세월 속으로 간 친구 아홉의 여행도 구이집 화로에서
맛있게 익어갔다
역사박물관 앞의 탑 옆에 걸린
초등학교 사진 속 아이들이 자라 단골이었음 직도
하고

동국사에서 따라 나온 올망졸망 돌부처들이
구수한 갈치조림 냄새에 입맛 다시며
슬며시 고개를 디밀어 봄 직한 일이었다

이월의 눈
– 송광사 가는 어귀에서

겨울은 가고
봄은 오지 않은 시간
겨우내 바람 든 무처럼 앉아 있는 2월이
눈 온다 눈이 온다고 숭숭 거린다

녹는 대지에 내려서 얼마나 쌓일 수 있을까?
쌓여서 무엇을 내어줄 수 있을까?

반나절이면 한 줌 햇살에 사라질 생인 것을 본다
사람들의 발치에서 질퍽이고
가지 끝에서 봄볕을 찾는 새의 날개가 하얗다

날개 털며 새는 날아가고
눈은 그리 잠깐 살다가
우수 지나 낙엽 속에서 푸석한 땅으로 들어간다

숭숭 거리는 이월은
깊은 곳의 봄을 끌어내고
내주고 받을 것을 묻는다

사계절 대지만을 섬기는 농부는 쟁기를 챙겨
인생의 밭에 거름을 내고
마음의 씨를 뿌린다

천불의 길을 가다
– 운주사 –

분분히 흩날리는 봄꽃 속에
꿈꾸는 눈을 뜨고 하늘을 연
와불이 일어나 앉을까?

천불산에서 나간 산줄기가 아래 비좁은 계곡에는
돌부처가 험한 시절을 견뎌 나이를 먹고
바람 속에 천년 세월이 왔다 가곤 했다

누군지도 모르는 돌부처들
돌부처를 바라보는 우리가 세월에 헐고
얼굴이 풍파에 닳은 돌부처이다
이 땅에 허허대며 살아온 우리들의 자화상이다

산등성이의 와불은 언제나 벌떡 일어서서
새 세상을 맞으며
천불천탑의 설화를 털어놓을까?

지는 꽃잎은 가사를 짓듯 와불 위에 내려앉고
절벽에 기대선 돌부처는 일어날 그날
좋은 세상이 언제인가를 기다리는
알 듯 모를 듯한 미소만 짓는다

운주사의 설화가 시작된 그 옛적에는
널리고 널렸을 천불천탑 중에
밤새 몇 개 가졌다고 들고남을
뭐라 할 부처는 없었다

해가 가고 세대가 가고
천년이 흐르는 동안
어느 집 고임돌로 들어앉고
들녘의 축석으로 놓이고
상돌이 되어 허허허 우리가 되어 살았다

여덟 꽃잎 대좌를 두른 마애불이 법당을 나와
밭고랑을 매다 말고 석불님 발치에 쭈그리고 앉은
촌부의 너스레를 듣고
돌부처의 어깨를 타고 노는 아이들에게
그 많은 석탑은 돛대가 되고
그 많은 석불은 사공이 되었다

피안(彼岸)으로 가야 할 운주사의 전설이야기 속에
누워 있는 와불이 일어나는 날
새로운 세상에 다다르는 소식을 알려주었다
해가 가고 세대가 가고 아이들의 천년이 흘렀다

천탑 천불의 봄

– 운주사 –

천탑의 봄은
누가 불러 주어서가 아니라
구름의 절을 꿈꾸며
돌부처 가슴마다 간절한 사랑의
속 깊은 뿌리에서 나온다

희망을 품어 기다리며
눈을 떠서 그대가 진정으로
섬겨야 하는 최선의 선을 찾았을 때
다듬고 다듬은 천 개의 가슴이 열린다

천불의 꽃은
누구의 손짓이 있어서가 아니라
두 갈래 길을 하나로 잇고
석탑의 대지에서 오랜 기다림을
굳건히 딛고 서서 핀다

사랑에 사랑을 보태

환히 핀 그대가 진정으로

곁에 있을 좋은 사람과 손을 맞잡았을 때

세우고 세운 천 개의 기다림이 피었다

은해사 모과향

대구에 내려 하양역으로 가는 기차를 탔다
창밖에는 겨울 안개가 가득 흘러가고
안개에 허리까지 잠긴 낮은 나무들이 수묵화처럼
섰다

경상도 사투리의 촌아낙 둘이 날이 풀렸다면서
자잘한 일상을 푸념처럼 늘어놓았다
살면서 어렵게 하는 것은 저만치 서 있는 큰 산이
아니라
신발에 들어간 모래 나부랭이라고,
그 몸 가지고 살기가 수월치 않겠다는
인사를 받아들고 기차를 내렸다

역 같지 않은 간이역 하양역에는 사람은 없고
아름드리 낙엽송 한 그루만 바람에게 남은 잎을 내
주고 있었다

휘이익 불어가는 바람을 따라갈까 하다
아는 길이었지만 역무원에게 은해사 가는 길을 물었다

은해사로 가는 숲길은 나목들이 조용히 섰고
짙푸른 소나무는 물속에서도 하늘을 향해 서있었다
빈 겨울 산사에는 풍경조차 울지 않고
종각루의 목어만이 극락보전을 향해 있었다

지팡이를 짚은 노스님에게
뒤따라온 젊은 남녀가 공양간을 묻더니
극락보전의 부처 앞에서
나도 배가 고파졌다
노스님은 기다렸다는 듯이
가서 공양하라고 지팡이를 들어 일러주었다
나도 우향각 앞에서 한 노인에게 공양간을 알려주었다

관계자 외에 출입 금지
우항각에는 들어갈 수가 없었다
담 안에는 모과향이 가득하였다
모과는 모과나무에 몇 개와
물항아리 옆에 바구니 안에 가득 앉아 있다

봄에는 꽃 여름에는 비바람을 이긴 푸른 잎
나비가 없었으면 맺지 못했을 모과가 영글었을 가
을도 가고
겨울 한복판의 모과는 향기로웠다
영하의 눈을 서너 번 맞고 나면
입춘 즈음에 사계를 담은 씨앗들은
지나가는 철새의 입을 빌어 세상에 뿌려지리라
은해사를 나오는 길에 눈이 오기 시작했다

봄 선암사 가는 길

바람이 불어
천년의 선암매가 피고 지는 날은
부처도 기다리는 이가 있나 봅니다

승선교(昇仙橋)를 지나 강선루에 이르면
선암의 이야기를 들으며 가다 보면
삼인당 앞 편백나무는 오후의 긴 그림자를
등 뒤로 밀어놓고
찾아가는 이가 세월의 이끼 푸른 매화 가지마다
환한 꽃 아래서 부르는 기다림의 노래가 들렸습니다

유한의 기다림으로 산문 밖을 발돋움하며 내다보
는 이를
초대받은 봄날의 손님처럼 만나러 가는 날은
바람 결의 풍경도 울고 꽃은 더욱 환했습니다

눈 온 날의 언저리에서 이른 꽃소식이 오고
어딘가에서 그리움이 욱신거려
그리움을 찾아가는 것은 아닙니다

매화가 피고 기다리는 사람이 있어
가는 것을 굳이 말하지는 않았습니다

봄비에 밤새 지다 가야 하는 꽃잎과
하루 묵고 가는 손님처럼 온 나의 봄은
내 것이 아님에 소유의 끈을 묶지 않고
한발 물러서 바라보는 것임을 알았습니다

가고 오고 있는 그대로 있음에
꽃이 환히 피었습니다
부처는 맞이하는 이가 되어 앉아 있었습니다
꽃이 하얗게 떨어졌습니다
부처는 보내는 이가 되어 앉아 있었습니다

인레 호수의 농부
-미얀마 물 위 농장 쭌묘-

작은 조각배를 타고 희망을 일구는
인레 호수의 농부를 보았네

호수 깊이 대나무를 꽂고
뿌리를 엮어 띄워
아들은 물풀을 얹고
아버지는 진흙을 덮고 덮어 온
고단하고 처절한 노동의 터전은
물 위의 기적 같아 보였네

광활한 물 위에서 채소를 기르고
매일 아침 부처에게 공양하는
기도의 꽃 한 송이 키우는 꽃밭에는
인생의 진리를 거두는 노래가 가득 보였네

없는 살림살이가 물 위에서도 팍팍해도
가족과 벗, 이웃에게 들려주는 꽃은
덧없을 생의 순간마다
오체투지 수행자의 몸짓으로
주는 더없는 선물을 보았네

가없는 미소의 부처에게
바치는 무아의 공양이었네

이라와디강의 황혼 녘 기도

저녁 새가 날아가는 강가에서
흙 묻은 손을 씻는 이국 여인의
저녁기도는 평온한 대지의 묵상

아침햇살 빛나기 전 희망의 노래로 일어나
사랑하는 이들을 위한
조촐한 밥상을 차린 후 일을 나선
사탕수수밭 이랑은 길기도 길었으리라

종일토록 꿈을 따며 수확한
사탕수수 한 줌 허리춤에 넣고
옷에 묻은 흙먼지를 털며
일을 마치는 여인의 하루

삶이 물 위의 파문처럼 사라져 가겠지만
가난마저 자유로워 진한 가슴으로
일궈온 들녘이다

어떤 일을 했던지 수건으로 툭툭
고단한 맘 털어버리고 집으로 돌아가
작은 영단에 꽃을 바치는 여인의
황혼 녘 기도는 쉼으로 가는 강의 노래

2 부

먼 데서 온 자의 마음이 툭 열리듯

어떤 어머니

암자를 내려오는 길에는
봄눈이 내렸습니다

삼월 한낮 뜬금없이 내리는 봄눈에서
생강나무 노란 꽃은
가다 말고 왜 돌아왔느냐고 묻고
옷깃으로 스며드는 바람은
휘휘 돌며 장난을 칩니다

뒤따라오는 안심당 풍경소리는
어제 저녁나절 노을에 젖던 시간을 기억해
눈 사이에 풀어놓았습니다

스님께서 내리시는 찻물 소리
돌아가는 세상사에 관한 나의 푸념과
사람이기에 어찌 못할 것에 관하여 나눴던 언어들은
풍경의 손을 놓고 내 손을 잡았습니다

넉넉지 않은 살림에 절로 보낸 아들은
먹빛 옷이 빛나는 오십여 년 수행자의 길을 가며
산 아래 집은 잊은 듯 살았습니다

어느 날 구순 넘은 어머니는 아들을 찾아와
내복 한 벌 제대로 사주지 못한 게 아프고 아팠다고
칠순 가까운 아들의 손에 구겨진 봉투 하나를 쥐어
주었습니다

아들은 오랜 수행의 길에서도 어머니에 대한 그리
움은
어찌하지 못하였노라고 말하지 않았습니다
때가 되면 어머니 곁이 그리운 적이 참 많았다고
말하지 않았습니다

어제 저녁 이야기를 다 들은 풍경소리가
암자로 돌아가 안 들릴 때까지
봄눈은 그치질 않았습니다

그칠 줄 모르는 눈은
기도하고 내려가는 노보살을 바라보는
아들의 그리움으로 쌓이다가
가슴으로 들어와 눈물로 녹았습니다

하얀 풀섶에도 방울방울 눈물이 맺혔습니다
그리고 눈송이보다 작은 아기별꽃 무리지어 핀
산길 입구에 다다랐을 때 눈은 그쳤습니다

간절함에는 간발의 차이가 없다

멈춤이 없는 시간이라
이생에 한 번뿐인 이 순간
결승선을 앞에 둔 종마가 멈춰 서듯
나를 세웠다

곁에 있는 많은 이들은 우리는 모두 간발의 차이로
앞서 정상에 오르고 먼저 사랑도 얻을 수 있다고
했다
앞서가는 것만이 다가 아닌 것을 말하는 이는
많지 않았다

목마른 사람이 물을 찾듯이 달려간 곳에는
다음을 향한 목마름이 기다렸고
허기진 사람이 밥을 먹듯이 욕심을 주워 담은 후에는
숨었던 더 큰 바람들이 고개를 들었지만
진정 무엇이 간절한가는 알지 못했다

간발의 차이로 놓쳤다는 흔한 아쉬움으로 후회해도
후회의 이유를 이해할 수 없고
삶을 놓친 허망함에 가슴이 아프면서
진정 무엇을 간절히 바랐던가는 깨닫지 못했다

한 걸음 가서 쉬고 두 걸음 가서 쉬며
산사로 올라가는 등 굽은 이에게
곁을 지나 앞서갔다 내려가는 사람들을 향한
간발의 차이는 없다
밤이 깊어 가지만 쉬지 않고
몸과 마음이 사무치도록 절을 하는 간절함만이 있다

배고픈 나찰에게 기꺼이 자신의 몸을 던져
진리의 게송을 얻고자 했던 설산동자의 간절한 시
간 속에
등 굽은 이가 걸어온 간발의 차이는 없었다
결승선을 향해 가는 나를 세웠다

봄밤

목련은 피고
달빛은 환한데
오늘 밤 꿈길에서도
서성일 그대 그림자

언제까지 기다리려나
바람에 흔들리는 꽃잎이
그립디그리운 그대 같아
마음의 문 열고 나서오

어두운 밤길
오시는 길을 잃을까
그리 잊을까
별마다 사랑을 달아
그대 앞에 뿌리었소

흰 멧새가 울고

바람은 고요한데
순간의 기억 속에서
들리는 그대 노래들

할 말은 떠오르지 않아
어둠 속에 지는 별들이
잊어도 못 잊을 그대여서
잠 못 들고 밤을 새오

어딘가 거기
그대가 저물지 못할까
그리 그리울까
못다 부른 노래를 모아
그대에게 전하였소

목련이 지고 새가 날아가도
그대 잊지 마시오
별마다 뿌린 사랑을
못다 부른 우리 노래를

할미꽃과 바람

—서운암

봄이라도 햇살이 그리 필요하지 않아
키 작은 내가 마른 나뭇가지 지팡이 삼아
봄이 온 것을 볼 수 있으면 돼

아기별꽃아 왔구나
봄까치꽃아 늦지 않고 피었구나
나룻배 타고 강 건너온 바람은
어디로 갔니

꼬부러진 머릿밑에 앉아
내 자줏빛 한숨을 들어줄 바람이야

한 아이에게 들은 내 꽃말과 전설을
알고 싶어 하고
바위틈에 피거나 무명의 무덤가에 핀
나에게서 슬픔을 보고 허망한 소식 기다리다

저리 피었다 하는 소문 같은 거리의 소식을
전해 주었어

바람은 날아가는 새를 불러
너무 많이 사랑하여 꽃잎 떨구지 못하고
자줏빛 한숨으로 하르르 저버리는
내 소식을 들려주었어
산 넘어가서 기다리다 진 소식을
전해 달라고 했어

복사꽃 지다
– 부석사의 봄

잠 못 이뤄
서성이는 어둠의 길은 끝이 없어
새벽은 오지 않으니
밤새는 뼈가 시리게 울다 날아가고
복사꽃이 이울었다

쇠북 치는 소리에 술렁이는 숲에는
먼 데서 온 자의 마음이 툭 열리듯
별동별이 떨어졌다

향 사르는 영혼은 맑아
바다같이 넓은 깨달음을
다 알기 어려워라 하는 종송소리는
티끌마다 아득하여
뜰 아래 옛 탑 위에 떨어지는 꽃잎을
지는 달이 천진의 얼굴로 바라보았다

떨어지는 꽃잎도

지는 달빛도

모두가 텅 비고 비어

쉼 없이 지나가는 계절에

밤과 낮을 돌고 돌아온 자리

마음 없는 자리에는 꽃이 피지 않았고

밖에 있는 마음에는 달이 뜨지 않았다

매화가 지다

원컨대 이 종소리 법계에
두루 하여 밝아지며
나 이생에 다른 마음 없이
오로지 아미타불을 따르리라는
스님의 새벽종송이
흐르는 별의 길에 이른다

저 앞 호수에 비친 달은
안으로 그리운 숲의 노래를 찾고
숲의 그림자 드리운 오층석탑 앞에
진사의 오랜 겁이 지나온 성자가
걸음걸음 지나간 자리처럼
붉은 여운으로 남았다

두 손 합장하고 앉은 사미승의
두 눈에서 눈물이 떨어지자
산문을 둘러 핀 매화꽃이
다시 돌아오지 않을
성장의 길을 가듯
지고 있었다

미황사

달마산 아래 팔각지붕 절집은
연꽃잎 주춧돌 위에 배흘림기둥 단청도 없이
미증유의 달빛이 내려 하얗다

빛을 품은 저편 어둠에서는 밤새가 울고
낮에는 볼 수 없다 보이는 번뇌의 실마리를 주워들자
푸른 별들은 새벽바다를 향해 돌아선다

사람 사는 일에 쌓이는 업은 어찌해야 하고
동트는 바다 위로 밝는 적멸은 무엇으로 맞이해야
하며
배를 타고 온 금인의 소가 멈춘 이 자리에서
나의 자리를 찾을 수 있을까?

새벽 종송은 풀리지 않는 번뇌를 때리고
막돌로 쌓은 기단 밑 계단에 앉았다가
어간문으로 나와 동백숲으로 걸어간 부처의

발소리를 따라 일어섰다

발걸음 소리 아슴아슴 그친 곳에는
검은 숲 동백 한 그루가 섰다
아름드리나무 사이에서
피고 지는 일은 치열하다면서
사월이 다 가도록 붉게 피고 있었다

달마산을 넘어가는 부처를 잃어버리고
무엇을 따라왔는지 모를 나의 상념에
동백꽃은 붉은 빛 그대로 지고
달이 저 먼 수평선을 넘고
별들이 바닷속으로 떨어져서
지난밤 흔적은 밝음 속에 사라졌다

그리워하다

백담사가 보이자 낮달이 나왔다
살아서 한 번도 못 본 아득한 성자 노스님을
집에서부터 시 한 편으로 그리워하면서 찾아가는
길엔
이 강과 저 강의 여물목에 돌다리 놓고
건넜으면 했지만 여의치 않았다
낮달이 삼도천을 건너가서
여기 온 소식을 전해줄 일이다

무금천 건너 산문을 들어가니 동박새가 운다
예전에 노스님은 봄에 한번 가을에 한번
문 잠그고 안 나오신다는 소식은 들었으나
피고 지는 시절은 여러 번 오고 가는데
아니 나오시는 이유를
물을 곳이 없었다
동박새는 담장을 넘어 돌아오지 못할 곳에 들어가
그리움 놓지 못하는 이 맘을 놓고 올 일이다

심검당 살구꽃

노스님이 심검당 댓돌에 앉아 넋 놓고 앉았더니
몇 해 피지 않았던 살구꽃이 환히 피었다

대적광전의 잔잔하던 목탁 소리 그치고
사람들은 산 아래로 내려갔다

간혹 바람이 불어 실구나무를 흔들어대고
해는 서산을 넘어간다 하고
대웅전 범자문 지붕 위로 낮달이 올라왔다

땅거미를 부르고 어둠을 놓고 날아가는 저녁새는
심검당 노스님의 오도송을 물고 숲으로 들어갔다

달빛은 밤 깊도록 부는 바람과 놀고 나서
누구를 향해서인지는 알 수 없으나 삼배를 하였다

스님은 어디 가셨는지 살구꽃만 져서
심검당 뜰이 온통 하얀데
바람은 꽃잎을 떨구고 어디로 갔나
꽃은 지는데 아무도 없다

나, 당신을 이제

푸른 빛 도는 숲길에서
당신은 나를 바라보고 있음에
내가 보는 당신의 눈에는 미소가 있었고
앞으로 넘어야 하는 험한 산의 지도가 그려져 있었
어요

짐작할 수 없는 내일의 길,
예기치 않은 어려움을 아는 것
당신은 그저 바라봄으로
그래도 가야 할 나의 길을 알려주시는 거겠지요
가는 길목마다 서 계시는 이,
그런 당신입니다

나도 이제 당신을 봅니다
내가 오랫동안 기다린 당신
영원한 삶, 바른길로 가는 믿음입니다

아침 해 뜨는 바다에서
당신은 나를 기다리고 있음에
나를 맞는 당신의 손에는 나침판이 들려있고
건너야 하는 거친 바다의 닻을 올리고 있었어요

언제 올지 모를 폭풍의 속, 갑자기 덮친 혼돈을
준비하는 것
당신은 그저 기다림으로
저리 건너야 할 내 삶의 닻을 조여 주시는 거겠지요
바다 가운데서 길잡이 돼주시는 이,
그게 당신입니다

나도 이제 당신을 기다립니다
내가 찾아 헤맨 당신
끝없는 생의 바다에 건너는 평화입니다

새 소리를 쌓다

– 통영 용화사 –

항구를 배회하던 떠돌이 한 사람이
보광전 앞 절 마당에 주저앉아
어간문 앞 계단 위에 떨어지는
새 울음소릴 모아 그득하게 쌓았다

조금만 나서면 보이는 바다에
독행의 섬을 만들고 있는 듯도 보이고
새에게 울 만큼 다 울고 어여히 날아가라는
기다림처럼도 보였다

세월은 낮도깨비 같고
사랑은 모닥불 같은 것
검은콩 놓인 누런 술빵 같은 얼굴로
방랑의 떠돌이는 편백나무 아래서
푸른 영혼이 되어 쉬고 싶다는 떠돌이의 맘이
보광전 뜰에 깔렸다

떠돌이의 맘이 남해바다에 닿고
이름 모를 새소리는 쌓여 섬이 되었다고 하니
아미타부처는 산문 밖의 편백나무 길을 뒤로 밀었다
그리고 손을 뻗어 새가 우는 야자수나무를 흔들었다
새는 날아갔다
있을 것 없을 것 다 있는 세상 밖으로

편백나무 숲길로 날아간 새는
길 위의 사람들이 산문으로 들어가도 울고
무거운 배낭을 메고 산정을 향해 가도 울었다

돌고 돌다 법당 뜰에 앉았던
떠돌이는 여전히 그 자리에서
산문 밖으로 새가 날아간 줄도 모르고
새소리를 놓지 않고 쌓았다

달

-경주 남산에서 -

부처골 돌부처에게 세월에 깎인
천년의 삶을 물어보다가
파도처럼 밀려왔다 흩어지는 구름을
바라보고 있으려니
지수화풍, 수생을 나고 죽음은
하늘에서 차고 지는 달로 보였다

내소사 노루귀꽃

피어남은 새벽을 채우는 안개처럼 피어나고
떨어짐은 햇살 아래 안개처럼 지는 것뿐

피고 지는 일처럼
맞고 보내는 일도 그러하리니

피고 진 자리에
맞고 보낸 자리에
항상 홀씨 하나 묻혀 불현듯 계절이 오면
생사에 따르지 않는 노래로 피었어라

한번은 그를

– 석남사 –

사는 동안에
한번은 만날 수도 있겠지

기대 아닌 그리움 하나로
그를 생각을 해
거리의 사소한 기억들
참 오래된 기억이지만

그에 관한 모든 것
잊을 날은 없을 테지

이별 아닌 봄날 외출처럼
그를 배웅했어
편히 그대를 보낸 자리
무채색 그런 그 얼굴빛
늘 섰는 그 자리이지만

사는 동안에

한번은 만날 수 있겠지

그리 잊을 날은 없을 테지

벗에게

꽃이 피지 않았다면
이월 가고 삼월은 오지 않았겠지

저기 길이 없었다면
푸른 숲길로 가는 동행은 없었겠지

삶의 한가운데 그대 동행이 아니었다면
바른 서원 하나로
그 곁에 머물지는 못했겠지

그대 곁에 머물 서원을 세우지 않았다면
그지없는 마음이
머물 집을 짓지 못했겠지

우리가 서 있는 순간이
어떤 시나 노래를 부르는 행복이었다가도

흔들리거나 넘어져 감당할 수 없는
괴로움이 될 수 있음을 알고 있어

행복의 노래를 부르다가도
괴로움의 돌부리에 채어 넘어지더라도

그림자가 주인을 따라 일어나고
수레바퀴가 곧은 길로 굴러가듯이 가야 하지

비록 감당해야 하는 것들이 많더라도
쉬지 않으면
무엇에도 변하지 않는 좋은 세상에 닿겠지

사월 부석사 길

사과꽃 하얗게 피던
사월 어느 날
안개 속에 잠긴 새벽길에서
그대의 가슴으로
햇살 가득 풀어놓는 아침을
맞습니다

안개 속에서 무명의 등불을 켜
어둔 내 길의 길잡이가
되어준 그대는
안개 속을 걸어본 사람만이
맞을 수 있는 투명한 계절로
내 앞에 결 곱게 서서 말했지요
이리 고운 날은 꽃처럼 피라고

쉼

그대 오셨나요
다가서는 나처럼
곁에 머물렀던 이별은 멀리 가네요

서편으로 졌던 별이 내일 다시 빛나듯이
그렇게 사랑은 빛날 일이지요

피어나는 꽃처럼 그대 내게 머무네요
그대를 기다리면서 사는 의미를 찾았어요

그대 햇살 가득한 날 오세요
미소 고운 얼굴로 기다리는 내게
외롭지 않게 그대 여기에 와서 쉬어요

3 부

날아가는 새에게 묻지 않듯
가는 목적을 묻지는 말라

풍경이 새에게

안암역 보타사 마애불을 만나고
내려오는 길엔
사랑하는 이의 맘속 깊은 곳에
연꽃 한 송이 심었다

바람 곁에서 풍경이
마애불 곁 소나무 위에
무심한 듯 앉아있는 동박새에게
기다리는 이가 있으면
그리 있지 말고 찾아가라고 운다

진정 모르겠습니다

이래도 그르다 저래도 그르다
무엇이 그른 건지 모르겠지만
왼쪽에 사람들이 그른가 했습니다

이것도 아니야 저것도 아니야
무엇이 아닌 건지 모르겠지만
오른쪽 사람들이 아닌 건가 했습니다

이 자린 오지 마
저 자린 더욱 가지 마
이리 서 있는데 누구의 자리인가 몰라 하다가
앞서간 사람들의 자리도 아닌가 했습니다

여기도 안 보여 저기도 안 보여
세상이 온통 안 보이는 건지 모르겠지만
뒤에 오는 사람들이 안 보이는 건가 했습니다

그르고

아니고

갈 곳 없고

안 보이는 그 세상은

도대체 어느 세상인가 진정 모르겠습니다

꽃이 피었다 하셔도

당신을 아직 모르니
꽃이 피었다 하셔도 갈 수 없어요

그렇다고 자꾸만 두근거리는 심장과
눈에 밟히는 당신을 두고
돌아설 수도 없어요

많은 사람들의 거리를 지나
추억의 노래 가득한
그 집 앞에 서면 꽃이 질까
그러면 당신이 가려나
흔들리는 마음
꽃잎 되어 날리는 당신이지요

당신의 거리를 모르니
달빛 밝다 하셔도 갈 수 없어요

그렇다고 오늘도 밀려드는 그리움과
깊어가는 밤 당신을 두고
맘 닫을 수 없어요

많은 사람들의 거리를 지나
사랑의 이야기 가득한 그 거리에
가면 달이 질까
당신 그 사랑도 질까
흔들리는 마음,
달빛 되어 빛나는 당신이지요

귀가

해 뜨기 전부터 박스를 주워 팔고
시장 입구에 쪼그리고 앉은 노인은
종일토록 머리와 어깨에 내려앉은 먼지를 턴다

허리 펴는 노인의 가방에
붕어방 아저씨는 갓 구워낸 붕어빵 한 봉지와
귤 서너 개를 함께 담아준다

그리고 노인이 손에 꼭 쥔 천 원짜리를 받으며
"오늘은 손주가 안 보이네요. 어르신 내일도 건강하게 뵈어요"
하고 인사를 한다

"세상이 씨그러우이 병 안 걸리게 조심허야 쓰겄네. 내일 봄새"
굽은 등허리에 얹었던 한 손을 들어올려 답을 하며 돌아서는
노인 앞에는 가로등이 켜지기 시작했다
저 멀리서 노인을 부르는 소리가 점점 가까워졌다
할아~아버지

치자꽃 피는 옛 역에서

안개비 오는 옛 역에는
기차가 서지 않았지만
흰 치자꽃이 무더기로 피었다

낯익은 이가 아직 잊지 못한
그리움을 캔버스에 담고 있었으며
비에 젖은 치자꽃 향기가
가서 앉았다

홀로 역을 지키는 늙은 역장은
더 이상 열차는 오지 않는다고
멈춤의 수신호를 하고
강물도 철길따라 흘러가다
안개에 묻힌 채 섰다

기차를 기다리는 이는 없어도

기억하는 누군가가 있고

기억의 저편에서 찾아오는 이에게

이별이 기다리지는 않았다

오후 산책

열 살에 서울로 이사 온 우리집 대문 밖은
판자집 다닥다닥했던 뚝방이었다
나이를 들어 다시 돌아와 보는
뚝방길에는 벚꽃이 오 리쯤 피었다
연탄공장 먼지가 까망 눈처럼 내리던
동네는 진작에 없어지고
거기 살던 아이들의 소식이
궁금했지만 듣지는 못했다
빛이 환해 오후 산책을 나섰을 때
이거 누구고 너 바보 맞지, 맞구나 맞아
하고 반색하는 소리에 뒤를 돌아보았다
국민학교 친구 둘이 웃고 섰다
뚝방에 살다 동네를 떠나지 않았다는 아이들
우리집 담장에 익지도 않은 포도를 따서
도망간 아이와 책가방을 들어준 아이였다
우리들의 산책은 즐거웠다

꽃 필 때 햇살 같은 친구

꽃 질 때 바람 같은 친구

오후 산책은 이보다 더 좋을 수 없는

봄날 하루였다

초승달이 떴다

부품도 마지막이었던지 수리할 수 없어
덜컹덜컹 흔들리는 버스를 타고 갔다

파하는 시골장에서 탄 노파가
풀물이 까맣게 든 손으로
제멋대로 구겨진 천 원짜리 지폐를
세다가 졸고 있다

암자에 도착하기까지 아직 멀었는데
우르르 탔던 사람들과
조는 노파를 남겨두고
내리려는 순간
어른이 되어버린 아이들의 속도로
구름은 흘러갔다

버스는 나를 내려놓고 부리나케 떠나가고
코가 닳고 귀가 뭉개진 돌부처가 인사를 한다

돌부처는 오늘도 세상으로 나가려다 접을 모양이다
밤이 오려는지 어린 참나무에 거미줄이 넓어지고
새들은 둥지로 날아가 숲이 적막하다

오늘은 다시 앞산에 걸렸던 땅거미를 버려두고 떠
나고
초승달이 떴다
부품 고장 난 나의 가슴에도 떴다

왼손을 위한 피아노협주곡

지평선을 향해 걸어갔다
티끌 없는 섬돌을 쓰는 대나무 그림자를 지나
호수에도 뜨고 하늘에도 뜬 달을 따라서
이어지고 이어진 길을 걸었다
산그늘 푸른 숲의 풍경 앞에서
세상에 홀로 던져진 나를 보기도 했다

가다 보면 사막이나 설산이 있었고
어두운 황야에서 길을 잃기도 했다
그러나 날아가는 새에게 묻지 않듯
가는 목적을 묻지는 말라 했다

홀로 던져진 세상에서 길이 보이지 않을 때는
죽음의 수용소에서 나무판자에 피아노 건반을 그린
왼손의 피아니스트 파울의 왼손을 위한
피아노협주곡을 들었다

순서를 정할 수 없는 역경계와 순경계를
안고 지고 가는 길 위에서
나의 시가 쓰여질 때까지
한 손의 협주곡은 끝나지 않았다

꽃은 그리 피어요

꽃은
햇살에 기대고
바람의 손을 잡고
그리 피어요

생명은 태어나서
서로 기대고 서로 손 잡으며
나무처럼 자라고
꽃처럼 피어나는 거지요

서로 기대고 살다 보면
웃을 일도 있고
눈물 나는 일도 있고
웃고 우는 가운데
자라는 행복이 보이지요

우리도

꽃이 피는 것처럼

기대고 손잡으며

그리 살아요

별이 나에게

별이 창문을 두드린다
너는 지금 어디쯤 가고 있는지
어둠 속에서도 꽃은 피고
제 길을 가는 생명이 있다고 말한다

별에게 물었다
너는 어디로 가고 있느냐고
못 잊어 그리울 사람을 두고
차마 가지 못하는 그런 날이 있었느냐고
손짓을 했다

꽃은 피고 길을 가도
어디로 간다 말 못하는 별이
창가에 서성이는 밤은
나도 길을 잃었다

할아버지 말씀

지혜로운 마음을 갖는 것은
파도치는 바다를 건너갈
튼튼한 배 한 척 만드는 일이다

지혜로운 눈을 뜨는 것은
어두운 밤길을 밝혀줄
꺼지지 않는 등불을 드는 일이다

듣고 생각하고 배우는 가운데
지혜로운 마음이 생기고
보고 실천하는 가운데
밝고 맑은 눈이 열린단다

7월엔

한낮의 소나기
한바탕 지나간 것은
그대 오는 길이 열린 까닭이고
풀뭇새가 울며 나는 것은
그대 저만치 보이는 까닭인데
내 앞엔 아직 그리움만 가득합니다

골목길에 능소화가 붉게 핀 것은
그대 오는 것을 반기는 마중인데
아직 먼 기다림으로
그대가 보이지 않습니다

들은 나무에게 저기 보인다고 하고
구름은 하늘에게 저기 온다고 하여도
마음만 조급한 나는
그대가 멀어 보이질 않습니다

인연이라 너는

어스름 땅거미에 길이 묻혀도
너는 타는 노을로 서 있다

묻혔다 할 수 없고
서 있다 할 수도 없고
흐르는 시간 속에서
길 위의 너로 있다

길은 묻혔다 걷히고
너는 먼 새벽별로 떠 있다

미실댁 그 집

미실댁이 서방으로 간 지 서너 달
그녀의 빈집에는 능소화가 붉게 피었지만
찾는 이 하나 없고
문 열어 맞는 이도 없어
뒷산에 울던 휘파람새 가끔 내려와 운다
대문 안 화단에는 키 작은 채송화 올망거리고
아욱에도 꽃이 피고 상추는 장대같이 커서
미실댁 대신 기다리는 아들은 소식이 없다

능소화 꽃잎 하염없이 지던 날
시내 복덕방 김 노인이 두어 번 들락이더니
포크레인 들이닥쳐 담이 헐리고
채송화 아욱꽃 씨앗 홀씨로 날아가고
모두가 트럭에 실려 자취없이 가버렸다

미실댁의 그 집에 미실댁이 떠나고
미실댁의 그 집에 휘파람새도 울지 않고
미실댁의 그 집에 채송화 아욱꽃 홀씨로 날아가고
미실댁의 그 집을 헐던 포크레인도 가버렸다
미실댁 그 집 터엔 곧 잊힐 그녀의 이름만 서성거렸다

수국이 필 무렵의 귀향

수국이 피는 초여름 하늘 아래
소나기 한참 내린 날
노을이 깊게 빠진 강물에
그리움이 흘러가도 부르지 않았다

푸른 나무 밑 머물다
저 먼 어딘가 손 닿을 수 없는 시간이 되고
같은 모습 기억은 구름의 흔적으로 지나갔다

형체 없는 꽃향기에 머문 시선들도
먼 길 돌아 돌아와 선 발걸음도
어린 내가 자란 그 길가
창 낮은 집으로 갈 소망으로 향하였다

눈 감으면 아른거린 귀향의 길
꽃 피는 풍경과 어느 영화 속 아이처럼
아름다운 시절 돌아갈 그곳이라는 것을
나이 들어 선명해진 기억의 파편으로
만드는 지도 속 그리움으로 그려놓았다

귀향의 길
어린 내가 부르던 노래와
가득히 피어나는 수국의 꽃잎들은
기억의 파편, 햇살의 눈부심으로 남았다

너와 나, 우리가 간직한다면

밤길 위에 어둠이 깊디깊어도
등불 하나 켜서 일념으로 나아가면
여명의 새벽에 다다를 수 있듯이

바다 멀리 수평선이 끝 간 데 없어도
돛대 하나 세워 창창히 저어가면
수평선 너머에 닻 내릴 곳이 보이듯

너와 나, 우리 가슴속
착한 마음을 가득 간직한다면
어둔 밤길과 폭풍 속 바다에서도
굳건히 살아갈 수 있으리

친구의 말

친구가 말했다

가끔은 곁에 사람이 있어도
가슴이 텅 비어 쓸쓸할 때가 있다고

어떤 날은 이유 없이 위로를 받고 싶다고 했다
휴대폰 속 수백 개의 전화번호를 뒤적이다
눈길 멈추는 번호 하나,
그런 사람 한 명을 찾지 못해
황망한 허전함이 밀려든 순간이 있어서
마음을 열어 놓고 싶을 때
전화할 전화번호 하나 찾지 못할 때

삶은 회색빛으로 흐리더라고
하였다

4 부

더 좋은 날을 낚으러 가는
여행자처럼 가고 있다

다대포 바닷가 가는 길 1

사람의 거리가 얼마나 되나 전철을 내리다 돌아보
는 오후
수일간 못 만난 이들과 차 한 잔 나누는 일이 어려
운 일이 되고
윤사월에 삼십 몇 도의 더위 속으로
시름 한 사발을 붓다가
문득 걷고 싶어진 바다 안개 속
있으되 찾아가기엔 불안한 바다엔
몇몇 사람만이 전부
소나무 숲길 뒤에 숨은 바다의 적막
과거에서 현재로의 지도에서 외각의 추억의 점에
표시를 하고
제출이 임박해 점검하던 서류를 덮고 역으로 나갔다

부산행 기차 안에는 드문드문 사람이 앉아있었다
오송역에서 신호 잘못으로 정차시간은 길었고
천안아산역에서 잘못 탄 노인은
대전에서 내리는 해프닝이 일어났지만
창밖에선 물 댄 논과 숲 사이 핀 밤꽃이 지나갔고
낯익은 풍경을 지날 때는 나비 같은 기억이 날아들었다
구포역에 닿기 전에 지나는 낙동강은
흐린 듯 하늘이 눌러앉아 있어도 흘렀다
구포에서 내려 범어사를 갈까 고민하는 사이
열차는 이미 출발을 하였고
사람들도 없었다

다대포 바닷가 가는 길 2

부산역에서 다대포행 전철을 탔다
기차역과 지하철역 사이 노상에서는
노숙자들이 서로 밀치며 험한 말로 싸우는 소리가
들려왔다
어느 나라 어느 역이든지 역에는 꼭 있어야 되는
사람들인 듯 보였다

전철 안에서 한 노인은 딸이 장애 손녀 탓에 이혼
한 이야기를 했고
한 젊은 여자는 코로나 마스크를 안 한 아저씨에게
시국이 어느 때인데 그러느냐고 훈계조로 당장 내
리라고 소리를 질렀다
이러니 기온은 백년 기록을 깨면서 일찍 덥고 조기
장마가 되는 게 맞고
이거 어디 사람 사는 건가 하는 소리는 많은 이들
의 것이 되었다

정차역 안내방송마다
나의 길게 뺀 목과 귀와 눈은 긴장을 했다
결국 종점에 내려야 함을 알면서도

다대포해수욕장에 내려 보이는 것은
금빛으로 반짝이는 바다와
한적한 백사장엔 아이들과 노는 한 가족이 있었고
개장준비를 하는 포클레인이 모래를 펴고 있다
아직 밀물이 들지 않은 바다로
윈드서핑을 하러 나가는 젊은 남녀 앞에서
바다안개가 일어났고 고층 아파트를 넘어가려 몰
려갔다
안개가 아파트 허리를 휘감아 돌고 있을 때
바닷물로 들어간 두 젊은이는 수평선에 걸린 듯했고
사람은 없고 안전 요원 한 사람이 바다 가운데 앉
아있다

바다에 와보고 싶던 청년 하나는 끝없이 멀리 멀리 바라보았다
갈매기 없는 바다를 바라보던 청년은 잃어버린 꿈을 찾은 눈빛으로 돌아섰다

솔숲을 가로질러 바다와 사이를 두고 몰운대 북카페에 앉았다
6차선 도로 건너 솔숲을 지나 바다는 멀어보였다
갔다 왔으니 멀다고
갈매기 두 마리가 날아왔다
바다는 과거가 되었다
추억 한 장 만들고 과거로 넘어갔다
바다와 안개와 노을이 함께 있었다

종이배 한 척

강이 생겼다기에
종이배 한 척을
먼 길을 떠나보냈네

강물은 흘러 흘러
길을 냈네

길을 가다 보면
길 끝 큰 바다에
닿으면 좋고 또 좋겠네

수평선을 넘나드는
갈매기로부터
피안을 찾아간
반야용선의 소식을
들을 수 있어도
반가운 맘 더 없겠네

그네들

물푸레나무길을 지나온 그네들이 보였다
안개비 속에 발자국처럼 남을 노래를 부르며 왔다

헐은 담장 밑에는 수국이 피어
오후 한나절 너울거리는 나비들에게
그네들이 오래 찾아온 냉정한 사랑을 내놓았다
담을 돌아오는 낯선 인기척에
목줄 길게 맨 개가 나오지도 못할 걸음으로 날뛰며
사납게 울었다

정오의 해가 구름 사이를 들락날락하는 사이
마을에는 나오는 사람이 없었고
마을 입구 편의점 앞에는 빈 버스가 섰다 갔다

소쩍새 소리 공허하게 들려오고
그네들은 감자밭에서 허리 펴는 두 노인에게
손을 흔들었다
노인들은 흙을 털며 무덤덤히 바라보기만 했다
관찰자 입장에서 그들의 관계를 짐작하지 못했다

어느 봄날의 그날처럼

아침 가득 햇살이 내려 목련이 환하게 피고
문을 열어 오는 사랑을 본다

흘러간 시간을 다시 돌릴 수는 없으나
지금 이 순간 꽃잎 같은 님을 맞지 않는다면
다시 온 사랑을 피울 수는 없어

저녁노을 짙어와 꽃잎은 지고
추억이 되었던 사랑
어느 봄날의 아침처럼
사랑의 손을 잡아 동행이 되어라

푸른 오후 바람이 불어 목련이 하얗게 폈고
맘을 열고 섰는 사람을 안는다

잊혀진 날의 노래를 다시 들을 수야 없지만
오늘 이 순간 흰 꽃송이 님의 맘은 변함없어
옛 기억 그대로 남아 내게 있어

파도가 부서져 꽃잎을 덮고
그리워 고왔던 사랑
어느 봄날의 그날처럼
사랑을 품에 안아 동행이 되어라

당신이 말하는 첫날

오늘도 당신은
온 생애의 첫날이라고 말을 했던가요?
다시 말하지만 화가의 사진관 앞에 우연처럼
서 있었다고 기억합니다
눈 쌓인 거리로 나갔더니
가로등은 켜지고 눈은 계속 내렸어요

당신이 온 길은 어둠 속에 보이지 않아요
눈 위에 당신의 발자국은 눈 속에 묻혔고
사진관에서 차를 마시는 동안 화가는
두 손으로 감싸 쥔 찻잔과
목도리를 두르고 약간 숙인 얼굴과
시계의 침처럼 심장의 떨림을 바라보는
눈을 그렸어요

당신에게 사랑에 대하여 말을 하려고 해요
참 오래 걸릴지도 모르겠어요

내겐 말하기 힘든 문제이기도 해요
허나 더 늦기 전에 말을 해야 함도 잊지 않고 있어요

어느 2월의 만남, 차 한 잔의 시간을 위하여
반나절을 달려온 그날도 눈이 왔던 것을 기억하나
요?

눈가에 주름이 늘듯 사랑의 주름도 늘어나
머리가 희어지듯 사랑도 나이가 들었어요

알면서도 무심하더라고 한 당신이 말한 것처럼
생각지 않았지만
말하려는 사랑은 있는 사랑일 뿐
첫눈 오는 날의 설렘 같은 것일 뿐
결국 말하지 않아도 되는 사랑
잊지 않아도 되는 사랑
당신도 다 아는 그것을
눈이 내리고 있어요

헌법재판소 건너편 건재상

사람의 그림자는 보이지 않았다
어제도 그랬고 오늘도 그랬다
분명 건재하는 건재상인데
점심 무렵에도 없던 목장갑 한 짝이
놓여진 것을 보면 일은 하는 양이다

헌법재판소 담 끝 아름다운가게 앞에서
건널목을 건너다가 생각했다

새로 짓는 고층 빌딩 사이
북촌으로 오르는 문의 머릿돌 삼아
헌법재판소 건너편 길가에 건재하던 건재상이라고
작품명을 붙여 갖다 놓으면
명작이 될 것이 분명하다고 말을 했다

이런 이에게 주겠소

꽃 필 적에 내리는 비를 이해하는 이에게
한 번도 준 적 없는 사랑을 주겠소

꽃이 질 적에 부는 바람을 알고 있는 이에게
그대로 잊지 않을 기다림을 주겠소

준 적 없는 사랑도 잊지 않을 기다림도
다는 알 수 없소
다만 모든 것이 그 어떤 인연으로
피고 지는 것을 알고 있소

밤이 깊어 환한 달빛을 그려가는 이에게
어디든 함께 가는 믿음을 주겠소
별이 질 적에 뜨는 별을 노래하는 이에게
언제나 다함없는 깊은 맘을 주겠소

함께 가는 믿음도 다함없을 깊은 맘도
다는 알 수 없소
그저 모든 것이 그 어떤 운명으로
가고 오는 것을 알고 있소

매화가 피다

그대여 변함없이 피고 있군요
그대의 전령이 소식을 갖고 왔을 때
환한 얼굴로 붉은 마음을 펴서
고운 빛 향기로 봄길을 열고
그리 피고 있군요
언제나 당신의 가슴에 가득한 순정
봄밤의 까마득한 어둠도 아랑곳없이
피는 그대가 보여요

그대여 설레며 피고 있군요
그대가 말하는 천년을
모든 사랑으로 주었던 믿음이 그대로인 때
바다를 건너와 수런거리는 그대의 시절은 더욱
두근거리고
피어나는 그 곁을 걸어봅니다

피어 있다가 봄비에라도 내려 꽃잎을 떨구면
그대는 벌써 절반이 지고 있다는 것을 보아요
춘몽으로 왔다가는 그대이기보다는 계절이 그대를
보내는 때
떨어지는 꽃잎이 붉게 져도
그대는 그저 피고만 있어요

필 때도 질 때도 붉은 맘 환히 빛을 발할 때
그대는 그저 피고만 있어요

벗에게

꽃이 피지 않았다면
이월 가고 삼월은 오지 않았겠지

저기 길이 없었다면
푸른 숲길로 가는 동행은 없었겠지

삶의 한가운데 그대 동행이 아니었다면
바른 서원 하나로
그 곁에 머물지는 못했겠지

그대 곁에 머물 서원을 세우지 않았다면
그지없는 마음이
머물 집을 짓지 못했겠지

우리가 서 있는 순간이
어떤 시나 노래를 부르는 행복이었다가도

흔들리거나 넘어져 감당할 수 없는
괴로움이 될 수 있음을 알고 있어

행복의 노래를 부르다가도
괴로움의 돌부리에 채어 넘어지더라도

그림자가 주인을 따라 일어나고
수레바퀴가 곧은 길로 굴러가듯이 가야 하지

비록 감당해야 하는 것들이 많더라도
쉬지 않으면
무엇에도 변하지 않는 좋은 세상에 닿겠지

아이야 너는

아이야 너는
창가에 드는 아침햇살에
눈 뜨며 행복했으면 좋겠어

기다림으로 보냈던 시간은
밝은 빛에 사라지고
햇살 아래서 싹이 트고
잎이 나서 너의 꽃을 피울 수 있게

아이야 너는
바닷가에 밀려드는 파도처럼
노래하며 평화로웠으면 좋겠어

두려움으로 가득했던 마음은
먼 수평선 밖으로 보내고
순풍이 불어 바다는 잔잔하고
갈매기 날아 너의 배를 띄울 수 있게

너

말하지 않아도 거기 있다
쪽빛 하늘처럼

있음을 알면 기다리지 않아도 온다
영롱한 아침처럼

가고 오는 것을 봄에 올곧이 흔들리지 않는다
금강송처럼

온 곳이 있어 가는 곳이 있으니
가도 가도 여여히 섰다
유유히 흐르는 저녁 강처럼

꽃처럼 봄처럼

푸른 꽃이 피고
달빛이 저리 밝은 날은
그리운 이의 얼굴도 푸르게 피고
함께 걷던 꽃길로 가네

사랑함에 길 위에 꽃은 만발하고
꽃이 지니 그리워해야 할 날이 있었네

달빛이 저리 밝은 날 꽃이 피고
날이 가서 달이 기울면
봄날은 가 꽃은 지고
꽃잎 분분한 길을 걸어가네

푸른 꽃잎이 피어나는 어느 봄날
사랑에게 소식이 오고
달빛은 저리도 밝은 꽃길로 나가
그대를 맞네

꽃 피고 지는 봄날에

사랑은 그리 왔다가 가네

피는 꽃처럼 가는 봄처럼 왔다 가네

2020, 그해 봄비

하루 건너 시간에 이른 봄비가 온다
뉴스특보에서 나온 전쟁터보다 더 흉흉한
세상 소식을 밟고
새 소식이 빠르게 덧씌워진다
그래도 비는 대지를 적셔 봄꽃을 끌어올린다

누구의 깊은 기침소리는 아파요 하는
노병의 비상나팔 울림같이 들리고
누구의 얼굴을 가린 눈빛은 저리 가라고
사람을 서로 밀치고 간다
우산 들고 섰는 보이지 않는 줄은
두세 장 마스크에 대한 기다림이다
봄의 입구에서 일그러지고 구겨진 세상사를
시절인연이라 덤벼드는 바이러스 탓이라 하기엔
이미 너무 많은 사람들이 감염되었다

그래도 촉촉이 천지에 젖어드는 비는

아이들의 밝은 표정으로

사람의 숲과 같은 거리에서

나질 거야 나질 거야 라고 조잘거린다

그리고 몸이 그만한 오늘은 텅 빈 거리에 나가서

봄비가 그치기 전에 흉흉한 소식들과 전별식을 하자

어느 바닷가의 바위에 앉아

바람꽃이 피었다는 소식이 오자
오랜만에 여행자가 되었다

지도에 없는 바닷가 바위에 앉아
구름을 잡아 푸른 바다에 그림을 그렸고
어부 부부가 삶의 그물을 메고
저녁 고기잡이배에 올랐다

온몸에 따뜻한 기운을 싣고
밀물 드는 바다로 나가는 그들은
더 좋은 날을 낚으러 가는
여행자처럼 가고 있다

침묵으로 떠난 여정에서

질팍한 삶터에서 만난

거친 길벗들에게 손 흔들어주고

지는 저녁해를 바라보며 닫는 하루

나만 지도에 점으로 집어넣었다

마음을 여는 기도문

어디서든지 사람을 만날 때는
나의 모든 것을 겸손으로 낮추고
깊은 마음속에서부터
최고의 존경으로 대하게 하소서

메마른 세상에서 타는 목마름으로
살아가는 이를 보거든
조촐한 나의 집에서
내 부모 내 형제를 대하는 것처럼
정성 담긴 물 한 잔 대접하게 하소서

희망을 잃은 사람이 손을 내밀 때
많지 않은 나이지만 가진 것을 모아서
진정 마음으로부터의
따듯한 위로로 손잡게 하소서

세상의 모든 존재는
서로 소중한 존재임을 아는 사람이 있거든
보이거나 안 보이거나 모든 존재를 위해
두 손 모은 기도처럼
한결같이 오늘 하루를 마치게 하소서

한 노인

길 위에서 서서 한 노인을 바라봅니다
많지도 않은 박스를 낡은 유모차에 싣고
무겁게 밀고 가는 등 굽은 노인 앞엔
오르막길도 내리막길도
쉽지 않은 길임을 봅니다
하지만 추워서 파리한 얼굴에
주름 가득한 미소로
내게 건네는 인사는 따뜻했기에
춥지 않으시냐고 묻지는 못했습니다
노인에게 조심히 가시라고 인사를 하고
내리막길 끝 슈퍼로 들어가는 것을 보며
나도 집으로 향했습니다
어제 오르막길 중간쯤에 골목으로
돌아가는 것을 바라보다가 집으로 왔듯이
오늘도 그렇게 집으로 왔습니다

심검당 살구꽃

발행 2021년 9월 30일

지은이 최명숙

펴낸곳 도서출판 도반
펴낸이 김광호
편집 김광호, 이상미
대표전화 031-983-1285
이메일 dobanbooks@naver.com
홈페이지 http://dobanbooks.co.kr
주소 경기도 김포시 고촌읍 신곡리 1168번지